Dziewczyna na skałce

Rock Chick

Jillian Powell

Przekład
Translated by
Kryspin Kochanowski

Other Badger Polish-English Books

Rex Jones:
Pościg Śmierci	Chase of Death	Jonny Zucker
Futbolowy szał	Football Frenzy	Jonny Zucker

Full Flight:
Wielki Brat w szkole	Big Brother @ School	Jillian Powell
Potworna planeta	Monster Planet	David Orme
Tajemnica w Meksyku	Mystery in Mexico	Jane West
Dziewczyna na skałce	Rock Chick	Jillian Powell

First Flight:
Wyspa Rekiniej Płetwy	Shark's Fin Island	Jane West
Podniebni cykliści	Sky Bikers	Tony Norman

Badger Publishing Limited
Oldmedow Road, Hardwick Industrial Estate,
King's Lynn PE30 4JJ
Telephone: 01438 791037

www.badgerlearning.co.uk

2 4 6 8 10 9 7 5 3

Dziewczyna na skałce *Polish-English* ISBN 978 1 84691 427 0

First edition © 2008
This second edition © 2015

Text © Jillian Powell 2006. First published 2006.
Complete work © Badger Publishing Limited 2008.

All rights reserved. No part of this publication may be reproduced, stored in any form or by any means mechanical, electronic, recording or otherwise without the prior permission of the publisher.

The right of Jillian Powell to be identified as author of this Work has been asserted by her in accordance with the Copyright, Designs and Patents Act 1988.

Publisher: David Jamieson
Editor: Paul Martin
Design: Fiona Grant
Illustration: Anthony Williams
Translation: Kryspin Kochanowski

Dziewczyna na skałce
Rock Chick

Spis treści	**Contents**
1 Przyjęcie...................	A party
2 Decyzja....................	A decision
3 Ścianka....................	The wall
4 Naprzód i w górę...............	Onwards and upwards
5 Wyzwanie..................	A challenge
6 Diabelski Spadek......	Devil's Drop
7 Ratunek....................	Rescue
8 Tajemnica.................	A secret

1 Przyjęcie

- Czy to dom Holly?

- Tak myślę. Wyślę jej SMS-a i sprawdzę.

- Nie ma potrzeby – powiedziała Lexie. – Słyszę muzykę.

Dziewczyny weszły do środka. Impreza była już rozkręcona. – Jest tu Callum – zauważyła Saira. – Lubi cię.

- Ale ja go nie lubię – odparowała Lexie. – Wygląda jakby potrzebował dobrego treningu!

- Jesteś zbyt surowa! – stwierdziła Saira. – Spójrz, uśmiecha się do ciebie.

Lexie uśmiechnęła się. Lecz nie do Calluma. Zobaczyła właśnie najbardziej przystojnego chłopaka na świecie. Kim był? – Kto to? – spytała Sairy.

- Nie wiem. Zapytaj Holly – odparła Saira. – Najpierw jednak napijmy się.

1 A party

"Is this Holly's house?"

"I think so. I'll text her and check."

"No need!" Lexie said. "I can hear the music."

The girls went inside. The party was in full swing.

"There's Callum," Saira said. "He likes you."

"Well, I don't like him!" Lexie said. "Looks like he needs a good work out!"

"You are harsh!" Saira said. "Look, he's smiling at you."

Lexie smiled. But she wasn't smiling at Callum. She had just seen the best looking boy on the planet. Who was he? "Who's that?" she asked Saira.

"Dunno. Better ask Holly," Saira said. "Let's get a drink first."

Lexie nie odrywała wzroku od chłopaka. Wreszcie spotkały Holly. – Kto to taki? – krzyknęła Lexie. Muzyka była teraz naprawdę głośna.

Holly potrząsnęła głową. – Nie wiem. Przyszedł z kolegą. Przystojny, nie? Nie jest jednak zbyt rozmowny. Rob mówi, że nazywają go Rock, Skała. Prawdopodobnie dlatego!

- Idź i przywitaj się z nim – powiedziała Saira. – Nie wstydzisz się chyba?

- Ani trochę! – odparła. Podeszła bliżej. – Znasz… ten zespół? – zapytała go.

Rock uśmiechnął się i potrząsnął głową.

- Cześć Lexie! To był Callum. – Zatańczysz?
Tłum przesunął się i Lexie straciła Rocka z oczu.

Lexie kept looking over at the boy. They caught up with Holly at last. "Who's that?" Lexie shouted. The music was really loud now.

Holly shook her head. "Don't know. He came with a mate. Nice looking, isn't he? Bit quiet though. Rob says they call him 'the Rock'. Perhaps that's why!"

"Go and say hello," Saira said. "I dare you!"

"Okay!" Lexie made her way over. "Do you… know this band?" she asked him.

The Rock smiled and shook his head.

"Hey, Lexie!" It was Callum. "Dance with me?" The crowd shifted. Lexie lost sight of the Rock.

2 Decyzja

Następnego dnia po szkole Lexie poszła do domu Sairy. Saira robiła właśnie barfi.

- Mm… smakuje wspaniale! – stwierdziła Lexie, oblizując łyżkę. – Jeśli już mówimy o wspaniałych rzeczach, dowiedziałaś się czegoś więcej o tym chłopaku, którego spotkałam na przyjęciu?

- Tak. Rozmawiałam z Robem – odparła Saira. Dodawała wody różanej do słodkiej mikstury barfi. Zapachniało latem.

- I…

- I nazywają go Rock, bo ma bzika na punkcie wspinaczki – odpowiedziała Saira.

- Wspinaczki?

- Tak. Jest jednym z tych szaleńców, którzy wspinają się na ścianki.

2 A decision

The next day, Lexie went over to Saira's house after school. Saira was making barfi.

"Mm… that tastes lush!" Lexie said, licking a spoon. "Talking of lush, did you find out any more about that boy at the party?"

"Oh, yes. I spoke to Rob," Saira said. She was adding rosewater to the sweet barfi mixture.

It smelt of summer.

"And…"

"And they call him 'the Rock' because he is mad keen on rock climbing," Saira told her.

"Rock climbing?"

"Yes, you know. He is one of the those mad people who climb walls and stuff."

- Czy nie ma ścianki do wspinaczki w starym kościele obok parku? – spytała Lexie.

- Tak. Rob twierdzi, że on tam chodzi.

- Wspinaczka…

- Tak, wspinanie się na ścianki, skałki. Zapomnij o tym. Nie cierpisz wysokości.

- Wiem – Lexie odparła powoli. To była prawda. Rzeczywiście miała lęk wysokości. Lecz jeśli miała to być jedyna droga, by poznać Rocka…

"Isn't there a wall climbing place in that old church by the park?" Lexie asked.

"Yes. He goes there, Rob says."

"Wall climbing…"

"Yes, wall climbing, rock climbing. And forget it. You hate heights."

"I know," Lexie said slowly. It was true. She really was scared of heights. But if that was her only way to get to know the Rock…

3 Ścianka

Lexie spojrzała na ściankę. Czy ktokolwiek się na nią wspiął? Wyglądała na trudną.

Czyżby oszalała?

Bała się wysokości. Nogi miała jak z waty. Co gorsza, nigdzie nie widziała Rocka.

3 The wall

Lexie looked up at the wall. Did anyone climb that thing? It looked too hard.

Had she gone mad?

She hated heights. Her legs felt like jelly. Worse, she could not see the Rock anywhere.

- Nie śpiesz się – powiedział jej partner. – Pamiętaj, wykonuj ruch tylko jedną ręką lub nogą w danym momencie. Odpychaj się nogami, nie podciągaj się na rękach.

Lexie postawiła stopę na jednym z chwytów i wypchnęła się ku górze. Nogi jej drżały.

- Poszukaj następnego chwytu. Dobrze.

Lexie wyczuła kolejny chwyt i wypchnęła się ku górze. Ziemia oddalała się. Rozejrzała się w poszukiwaniu Rocka. Może gdyby zobaczył, jak się wspina…

- Lexie! Nie odchylaj się tak.

Poczuła, jak jej stopa ześlizgnęła się. Była bliska upadku. Serce jej waliło jak oszalałe. Desperacko przywarła do ściany.

- Tak lepiej. Trzymaj się blisko.

"In your own time," her partner said. "Remember, move one arm or leg at a time. Push up with your legs, don't pull up with your arms."

Lexie put her foot on one of the holds and pushed herself up. Her leg was shaking.

"Look for the next handhold, that's it."

Lexie felt for another hold and pushed herself up. The ground was getting further away. She looked around for the Rock. Maybe if he saw her climbing…

"Lexie! Don't lean out like that."

She felt her foot slip. She was going to fall. Her heart was racing. She held on for dear life.

"That's better. Stay close in to the wall."

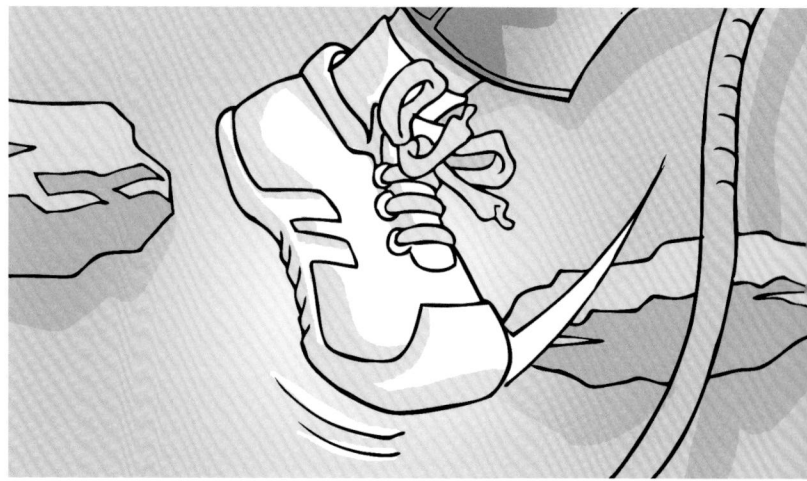

Lexie spojrzała pod nogi. Wtedy go zobaczyła. Rock tam był! Uśmiechnął się do niej.

„Dobra. On tam jest. Możesz to zrobić", powiedziała do siebie Lexie. Wyczuła chwyty stopami.

- O to chodzi, Lexie. Wypchnij się nogami. Już prawie jesteś na miejscu.

Dotarła to szczytu. Cała się trzęsła.

Spojrzała w dół. – To jej pierwszy raz, Jez – jej partner zwrócił się do Rocka.

A więc miał na imię Jez. Uśmiechnął się do niej. Nie mogła się teraz poddać.

Lexie looked at her feet. Then she saw him. The Rock was there! He smiled up at her.

Okay. He's there. You can do this, Lexie said to herself. She felt for the footholds.

"That's it, Lexie. Push up with your legs. You're nearly there."

She had reached the top. She was shaking all over.

She looked down. "It's her first time, Jez," her partner said to the Rock.

His name was Jez. He had smiled at her. She couldn't give up now.

4 Naprzód i w górę

- Lexie, twoje paznokcie wyglądają naprawdę źle!

Saira malowała henną ręce Lexie. Potrzebowała praktyki przed weselem w rodzinie.

– To od wspinaczki – odparła Lexie. – Czasem łamiesz paznokieć. Nic na to nie poradzisz.

Twarz Sairy wykrzywiła się. – I ty rzeczywiście lubisz tę wspinaczkę?

Lexie skinęła głową. – To jest wspaniałe. Daje ci prawdziwego kopa.

- A jak się sprawy mają z Jezem?

Lexie spojrzała na ręce. – Niezbyt dobrze – powiedziała. – Prawie w ogóle się do mnie nie odzywa.

Saira potrząsnęła głową. – Nic z tego nie będzie, Lexie. Pogódź się z tym.

4 Onwards and upwards

"Lexie, your nails look so bad!"

Saira was painting Lexie's hands with henna. She needed practice for a family wedding.

"Oh, that's from climbing," Lexie said. "You break a nail sometimes. You can't help it."

Saira pulled a face. "And you really like it, this climbing?"

Lexie nodded. "It's great. It gives you a real buzz."

"And Jez? How's that going?"

Lexie looked down at her hands. "That's not going so well," she said. "He hardly says a word to me."

Saira shook her head. "Face it, Lexie. It's not going to happen," Saira said.

- Muszę spędzić z nim trochę czasu – powiedziała Lexie. – Mam pewien pomysł. Podczas ferii odbędzie się kurs wspinaczki na wolnym powietrzu. Jez ma brać w nim udział. Ja również.

- Na dworze? Czy to nie jest zbyt... niebezpieczne? – spytała Saira.

- Wiem, za jakie sznurki pociągać – odparła Lexie. – Sznurki, rozumiesz?

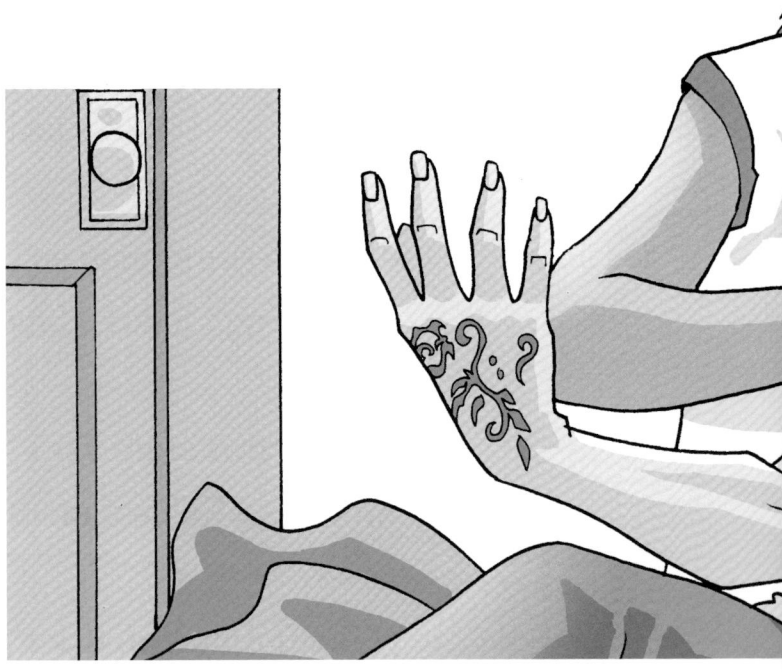

"I need to spend some time with him," Lexie said. "I've had an idea. There's an outdoor rock climbing course at half term. Jez will be on it. I am going too."

"Outdoor? Isn't that a bit… dangerous," Saira said.

"I know the ropes," Lexie said. "Ropes, get it?"

5 Wyzwanie

Lexie spojrzała na skałę. Wyglądała okropnie. Nie miała chwytów jak ścianka do wspinaczki. Serce zaczęło jej walić. Saira miała rację. To było niebezpieczne. Co robiła? Przecież nie znosiła wysokości.

- W porządku? – zapytała Ruth. Ruth miała prowadzić Lexie podczas wspinaczki. – Zrobię to powoli – zwróciła się do Lexie. – Po przejściu pierwszego stanowiska będziemy prawie na miejscu…

Ruth wskazała na występ skalny. Lexie z trudnością przełknęła ślinę. Wydawał się być bardzo wysoko.

- Dasz radę! – powiedziała Ruth. – Tylko pamiętaj o technice. Trzymaj się blisko skały i pracuj nogami!

Ruth zaczęła się wspinać. Wkrótce przyszła kolej na Lexie. Wyczuła chwyty stopami. Powoli pięła się ku górze. Jej oczy szukały kolejnego chwytu.

5 A challenge

Lexie looked up at the rock. It looked ugly. It had no neat holds, like the climbing wall. Her heart began to thud. Saira was right. This was dangerous. What was she doing? She hated heights.

"Okay?" Ruth said. Ruth was Lexie's leader for the climb. "I am going to take it slowly," she told Lexie. "The first pitch will get us there…"

Ruth pointed at a ledge of rock. Lexie gulped. It looked so high.

"You'll be fine!" Ruth said. "Just remember the drill. Keep close to the rock, and make your legs do the work!"

Ruth began climbing. Soon, it was Lexie's turn. Her feet felt for holds. She edged higher. Her eyes searched for the next hold.

To było całkiem odmienne od wspinania się na ściance. Powietrze było rześkie, skała nagrzana od słońca. Lexie poruszała się powoli. Była coraz wyżej. Wreszcie dotarła do półki skalnej.

- Dobra robota! – powiedziała Ruth. – Świetnie jak na pierwszy raz. – Dasz radę jeszcze trochę?

Lexie spojrzała w górę. Kolejny odcinek wyglądał na trochę łatwiejszy. W skale widać było szczeliny i załamania.

- Mhm, chodźmy! – powiedziała.

Tego wieczora grupa siedziała w schronisku, rozmawiając godzinami. Lexie wciąż jeszcze była podekscytowana wspinaczką. Nie było tam jednak Jeza. Powoli traciła nadzieję.

It was so different from climbing the wall. The air was crisp. The rock felt warm in the sun. Lexie moved slowly. She was getting higher and higher. At last she reached the ledge.

"Well done, mate!" Ruth said. "That was great for a first climb. Ready for a bit more?"

Lexie looked up. The next bit looked a bit easier. There were gaps and folds in the rock.

"Okay, let's do it!" she said.

That night, the group sat talking for hours at the hostel. Lexie was still on a high from her climb. But Jez wasn't there. Her hopes were going downhill.

6 Diabelski Spadek

Minął tydzień. Z każdym dniem Lexie czuła się coraz silniejsza. Najtrudniejszy test był jednak wciąż przed nią. Ostatniego dnia mieli wspinać się na Diabelski Spadek. Lexi widziała zdjęcia w klubie. Wyglądał koszmarnie. Wtedy dowiedziała się, że będzie się wspinać z Jezem. Nie było odwrotu.

Jez prowadził. Lexi patrzyła jak się wspina. Szło mu z łatwością. Dotarł do pierwszego stanowiska. Dał jej sygnał. Zaczęła się wspinać. Było naprawdę stromo. Nie widziała żadnego oparcia dla stopy. Zaczęła panikować. Odchylała się. Wiedziała, że nie wolno jej tego robić. Ciężko było przyciągnąć się z powrotem. Bolały ją ramiona.

„Nie patrz w dół".

Serce waliło jej w piersi. Wiedziała, że nazbyt się odchyla. Usłyszała wołanie. To Jez. Wiatr zagłuszył jego słowa.

6 Devil's Drop

The week flew by. Lexie felt stronger every day. But she faced her hardest test yet. On the last day, they were climbing Devil's Drop. Lexie had seen pictures at the club. It looked a nightmare. Then she found out she was climbing with Jez. There was no backing out now.

Jez was leader. Lexie watched him climb. He made it look so easy. He reached the first pitch. He gave her the signal. She started to climb. It felt really steep. She couldn't see any footholds. She began to panic. She was leaning out. She knew she mustn't lean too far. It was hard pulling back in. Her arms already hurt.

Don't look down.

Her heart was banging in her chest. She knew she was leaning out too far. She heard a shout. It was Jez. But the wind made it hard to hear.

Wtedy to popełniła błąd.

Spojrzała w dół.

Dolina, mała jak zabawka, leżała poniżej. Wyglądała na bardzo odległą.

Lexie spanikowała. Straciła podparcie dla stóp. Spadając uderzyła kolanami o skałę. Następnie poczuła, jak lina szarpnęła i zatrzymała się. Lexie kołysała się w przestrzeni.

Then she made a mistake.

She looked down.

A toy town valley lay below. It looked so far away.

Lexie panicked. She lost her footing. Her knees banged against the rock face as she fell. Then she felt the rope jerk and lock. She was swinging in space.

7 Ratunek

Wydawało jej się, że wisi tam całą wieczność. Lina asekuracyjna zgrzytnęła. Wiatr huczał wokół niej.

„Nie panikuj. Lina cię utrzyma. Nie panikuj".

Kręciło jej się w głowie. Miała sucho w ustach. Jej ręce były wilgotne. Ślizgały się na linie. A gdyby się zerwała? Gdyby spadła?

7 Rescue

Lexie hung there. It seemed like forever. The belay rope creaked. The wind boomed around her.

Don't panic. The rope will hold you. Don't panic.

She felt dizzy. Her mouth was dry. Her hands were wet. They slipped on the rope. What if it snapped? What if she fell?

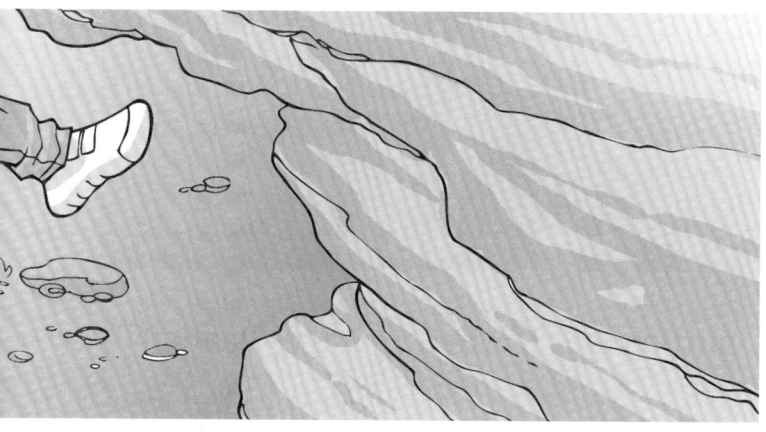

Czuła się jak martwy ciężar bujający się w poprzek skały.

„Nie jestem w stanie tego zrobić. Nie jestem w stanie tego zrobić". Miała mdłości i zawroty głowy. Wtedy usłyszała coś przez wiatr.

- Jesteś bezpieczna. Lina cię trzyma. To był Jez.

- Przyciągnij się. Świetnie. Lina cię trzyma. Tam jest chwyt.

- Jez... nie sądzę... że go dosięgnę.

- Dosięgniesz. Jest zaraz przy twojej stopie. Właśnie tam. Lexie wyczuła chwyt.

- W porządku. Zrobiłaś to. Jesteś bezpieczna. Wypchnij się ku górze. Super.

She felt like a dead weight swinging across the rock face.

I can't do this. I can't do this. She felt giddy and sick. Then she heard something through the wind.

"You're okay. The rope has got you." It was Jez.

"Pull yourself in. That's it. The rope has got you. There's a hold right there."

"Jez... I don't think... I can't reach it."

"Yes, you can. It's right there by your foot. That's it." Lexie felt for the hold.

"Okay. You've got it. You're quite safe. Push yourself up. That's it."

W jakiś sposób poradziła sobie. Nie wiedziała jak jej się to udało. Jez był taki spokojny. Sprawił, że poczuła się bezpiecznie. Dotarła na wierzchołek. Objęła go ramionami. Cała się trzęsła.

Somehow she did it. She didn't know how. Jez was so calm. He made her feel safe. She reached the top. She threw her arms round him. She was shaking all over.

8 Tajemnica

- Dziękuję! – powiedziała.

- By... by... byłaś wspaniała – Jez uśmiechnął się.

- Nie zrobiłabym tego bez ciebie.

- Owszem, z... z ... zrobiłabyś – zaczerwienił się. W tym momencie coś dotarło do Lexie. A więc to o to chodziło! To dlatego Jez był taki cichy. Jąkał się.

- Prze... prze... przepraszam – powiedział. – Ja...

- W porządku, Jez – powiedziała Lexie. – Rozumiem. Ale to, jak mówiłeś... tam...

Jez wzruszył ramionami.

8 A secret

"Thank you!" she said.

"You... you... you were great," Jez smiled.

"I couldn't have done it without you."

"Yes you c... c... could," he blushed. Then it hit Lexie. So that was it! That was why Jez was always so quiet. He had a stammer.

"S... s... sorry," he said. "I..."

"It's okay, Jez," Lexie said. "I understand. But the way you spoke... back there..."

Jez shrugged.

- Mu... musiałem cię doprowadzić do b... b... bezpiecznego miejsca – odpowiedział skromnie.

- Wygląda więc na to, że pokonaliśmy swoje lęki – powiedziała Lexie, uśmiechając się. Dotknęła jego ramienia.

- Tak myślę! – odparł Jez.

- A ja myślałam, że nie chciałeś ze mną rozmawiać! Jez potrząsnął głową.

- N... nie. Ja...

- Mamy więc sporo do nadrobienia – powiedziała Lexie. „To było dość śmiałe", pomyślała. Ale cóż, w końcu wspięła się na Diabelski Spadek!

"I... I had to get you s... s...safe," he said simply.

"It was like we both got over our fears then," Lexie said, smiling. She touched his arm.

"I guess so!" Jez said.

"I just thought you didn't want to talk to me!"

Jez shook his head.

"N... no. I..."

"So we have some catching up to do!" Lexie said. That was a bit bold, she thought. But then, she had climbed Devil's Drop!